미천왕

소금 장수에서 왕이 되다

원작 김부식 글 구들 그림 김재성 감수 금경숙

차가운 바람이 부는 겨울날이었어요.
대궐 마당에 한 남자가 피투성이가 된 채 꿇어앉아 있었어요.
남자는 지난 해 세상을 떠난 서천왕의 둘째 아들 돌고였지요.
"억울하옵니다, 폐하!"
돌고는 통곡하며 머리를 조아렸어요.
"시끄럽다! 아직도 네 죄를 뉘우치지 않고 시치미를 떼는구나."
봉상왕이 호통을 쳤어요. 봉상왕은 서천왕의 첫째 아들로, 돌고의 형이었지요.
"너는 감히 형인 나를 죽이고 왕이 되려 했다. 그러고도 어찌 살기를 바라느냐?"
봉상왕이 돌고를 노려보며 말했어요.
"아닙니다. 그런 일은 꿈에도 생각해 본 적이 없습니다."
하지만 봉상왕은 그 말을 믿지 않았어요.
"여봐라! 죄인이 뉘우치는 기색이 없으니 사형에 처하라!"
"폐하! 형님……, 형님!"
돌고가 애절하게 외쳤지만 결국 돌고는 사형에 처해졌어요.

봉상왕은 돌고의 시체를 성문 앞에 매달아 놓고는
지나가는 사람들에게 돌을 던지게 했지요.
그날 밤, 돌고의 아들 을불이 아버지의 시체를 거두러 왔어요.
"아버지, 어찌 이런 일을 당하셨습니까?
흑흑흑, 큰아버지가 원망스럽사옵니다."
을불은 아버지의 시체를 업고 가며 슬프게 울었지요.
봉상왕은 의심 많고, 시기심이 강한 사람이었어요.
왕이 된 후에도 누군가 자기를 죽이고 왕의 자리를
빼앗으려 한다고 생각하며 늘 불안해했지요.
그래서 지난 해에는 작은아버지인 달가의 목숨까지 빼앗았어요.
봉상왕은 어릴 때부터 동생 돌고를 질투했어요.
돌고는 비록 나이는 어렸지만 자기보다 학문도 뛰어나고
성품이 너그러워 대신과 백성들에게 많은 존경을 받고 있었거든요.
'돌고를 살려 두면 분명 나를 죽이고 왕이 되려 할 것이다.'
결국 봉상왕은 동생 돌고에게 누명을 씌워 죽인 것이었지요.

을불은 국내성* 변두리에 있는 작은 산에 도착했어요.

산속으로 들어가자 커다란 구덩이가 있었어요.

을불이 낮에 미리 파 둔 것이었지요.

구덩이 옆에는 깨끗한 가마니와 수의*도 준비되어 있었어요.

을불은 아버지의 시체를 깨끗하게 닦은 후 수의를 입히고

가마니로 정성스럽게 싸서 구덩이에 묻었어요.

"아버지를 지키지 못한 불효자를 용서하십시오. 작년에는

작은할아버지를 죽이고, 올해는 아버지를 죽였으니 이젠 저를 죽이겠지요.

저는 이제 고구려를 떠나려 합니다.

언젠가 좋은 시절이 오면 반드시 좋은 곳에 모시겠습니다."

을불은 입술을 꽉 깨물고 구덩이를 향해 큰절을 올렸어요.

그러고는 근처 바위 뒤에 숨겨 두었던 허름한 옷을 입고 산을 내려갔어요.

어디선가 새벽을 알리는 닭 울음소리가 들렸어요.

*국내성 : 고구려의 두 번째 수도로 오늘날 만주 일대
*수의 : 죽은 사람에게 입히는 옷

7

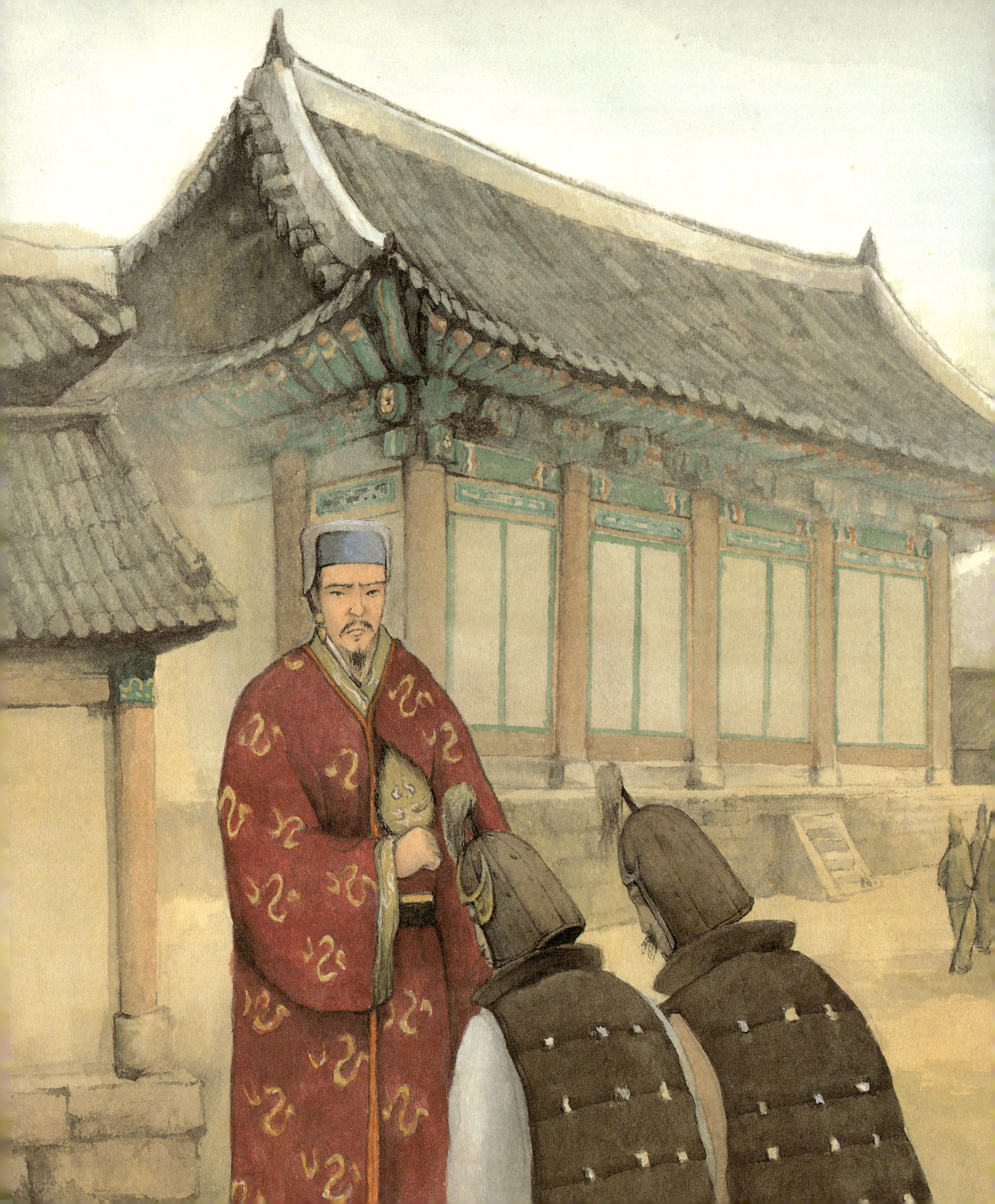

을불이 달아났다는 소식을 들은 봉상왕은 불같이 화를 냈어요.

"약삭빠른 놈, 벌써 도망갔구나! 그 놈을 살려 두면 분명 나를 죽이고

왕위를 차지하려 할 것이다! 여봐라, 당장 을불을 잡아 오너라!"

하지만 을불은 이미 국내성을 빠져 나간 뒤였지요.

을불이 국내성을 떠났다는 소식을 들은 창조리는 안도의 한숨을 내쉬었어요.

창조리는 고구려의 대신으로 봉상왕이 왕자였을 때부터 쭉 지켜봐 왔어요.

'왕자님은 성격이 급하고 포악하다. 게다가 사람을 믿지 못한다.

왕자님이 나중에 왕이 되면 나라가 몹시 어지러워질 거야.'

창조리의 예상은 빗나가지 않았지요.

왕위에 오른 지 얼마 되지 않았는데도

봉상왕은 벌써 여러 사람을 죽이고 있었거든요.

나날이 괴팍해지는 봉상왕을 보며

창조리는 돌고의 아들 을불에게 희망을 걸었어요.

'돌고님은 돌아가셨지만 을불 왕자님은 꼭 살아 계셔야 한다.

을불 왕자님, 어디에 계시든 부디 살아 계십시오.

제가 반드시 왕자님을 모시러 가겠습니다.'

국내성을 빠져 나와 압록강 근처 수실촌이라는 마을에 도착한 을불은
어느 부잣집에서 머슴살이를 했어요.
을불의 주인은 수실촌에서 제일 가는 욕심쟁이에다 심술쟁이였지요.
주인은 을불을 부려먹기만 하고 약속한 돈을 제때 주지도 않았어요.
"아침 먹기 전에 밭에 나가 김을 매고, 김을 다 맨 다음에는
과수원에 가 나무를 돌보아라. 그러고 나서 장작을 패고, 아궁이도 고쳐라."
을불은 잠시도 쉴 틈이 없었어요. 게다가 주인은 조금만 실수해도
일이 서투르다며 을불을 괴롭혔지요.
하지만 을불은 불평 한 마디 없이 열심히 일했답니다.

곱고 부드럽던 을불의 손은 거칠어지고 손가락 마디마다 굳은살이 박였어요.
'아, 백성들이 이렇게 힘든 일을 하고 사는 줄 미처 몰랐었다!
백성들의 생활이 이런데 대궐 안에서는 쓸데없는 문제로 말싸움이나 하고 있다니……'
을불은 고생을 하면서 백성들의 고달픔을 깨달을 수 있었지요.

어느덧 시간이 흘러 다음 해 여름이 됐어요.

부잣집 앞에는 커다란 연못이 있었지요. 그런데 밤마다 연못에서 개구리가 시끄럽게

울어 댔어요. 주인이 을불을 불러 말했어요.

"시끄러운 개구리 소리 때문에 잠을 잘 수가 없구나.

개구리들이 울지 못하도록 밤마다 연못에 돌을 던지거라."

을불은 어이가 없었지만 주인의 명령이라 할 수 없이 개구리가 울 때마다 돌을 던졌어요.

하지만 개구리가 돌에 맞지 않도록 연못 가장자리로 살짝 던지는 시늉만 냈지요.

개구리들은 돌멩이 소리에 잠시 조용해지다가 이내 다시 시끄럽게 울어 댔어요.

그러자 주인이 뛰쳐나와 소리쳤어요.

"도저히 안 되겠다! 개구리들을 다 때려 죽여라."

을불은 더 이상 참을 수 없었지요.

"아무리 개구리가 시끄럽게 울어도 주인님이 잠을 편히 자기 위해서

개구리를 죽일 수는 없습니다. 생명은 다 소중하니까요."

을불은 부잣집에서 나오고 말았어요.

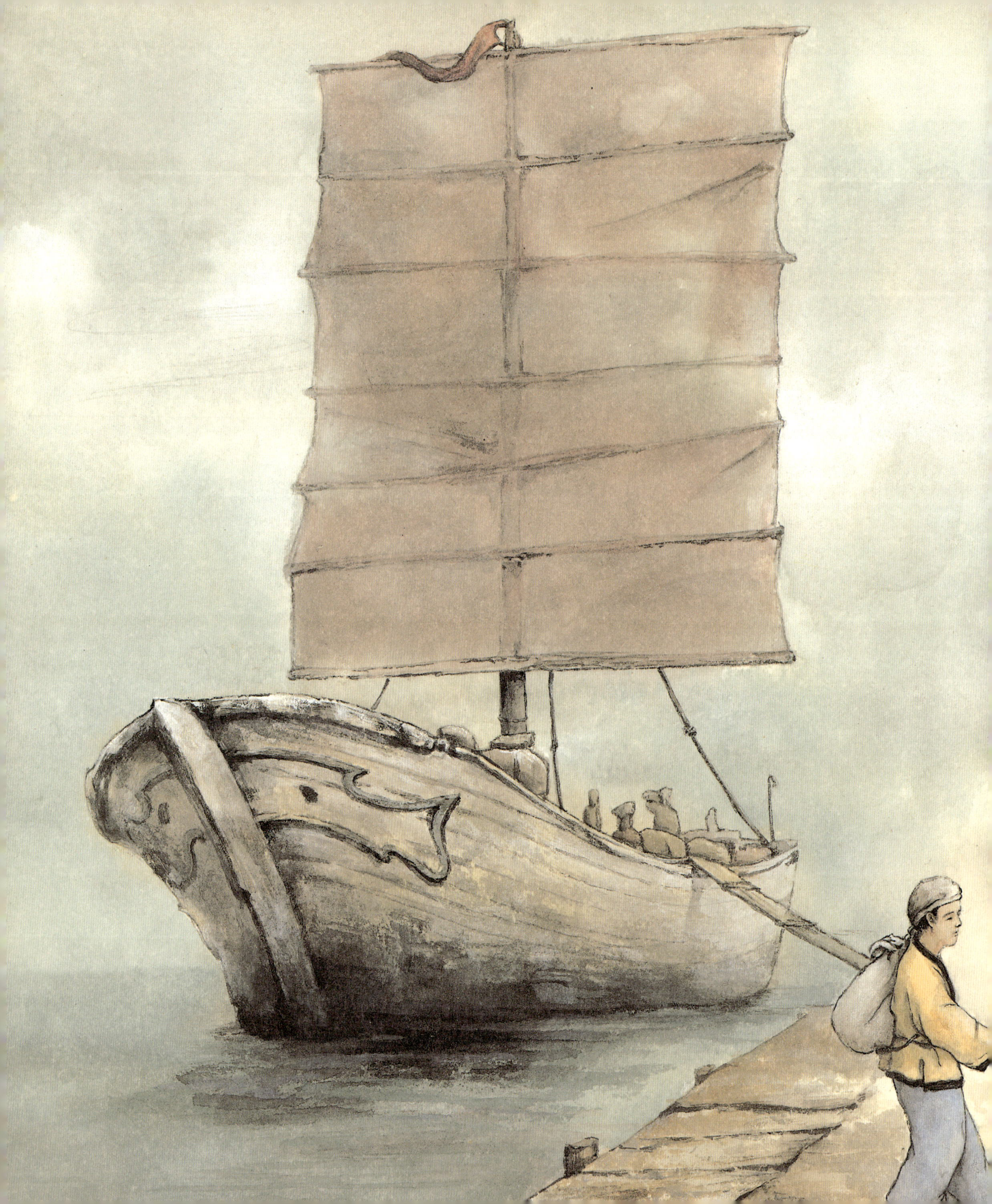

무작정 뛰쳐나온 을불은 소금을 팔러 다니는 배를 탔어요.
그러고는 부지런히 일하여 모은 돈으로 소금을 사서
만주 지방을 다니며 소금 장사를 시작했지요.
소금을 들고 다니며 파는 일은 어려운 일이었어요.
장마철이면 행여나 비에 소금이 녹을까 걱정이었고,
추운 겨울에는 무거운 소금을 메고 다니느라 힘이 들었지요.
하지만 무엇보다 견디기 힘든 건 낙랑과 대방의 횡포였어요.
낙랑과 대방은 고구려 국경* 지역에 있는 중국의 식민지였는데
두 지역의 군사들은 걸핏하면 고구려 백성을 괴롭혔지요.
고구려 상인들은 낙랑과 대방을 지날 때마다 많은 돈이나 값비싼 물건을 바쳐야 했어요.
'낙랑과 대방을 없애지 않으면 고구려 사람들이 편안히 살 수 없겠구나.'
을불은 나라의 힘을 키우고 땅을 넓혀야 백성들이 행복하게 살 수 있다고 생각했어요.

*국경 : 나라와 나라의 영역을 가르는 경계

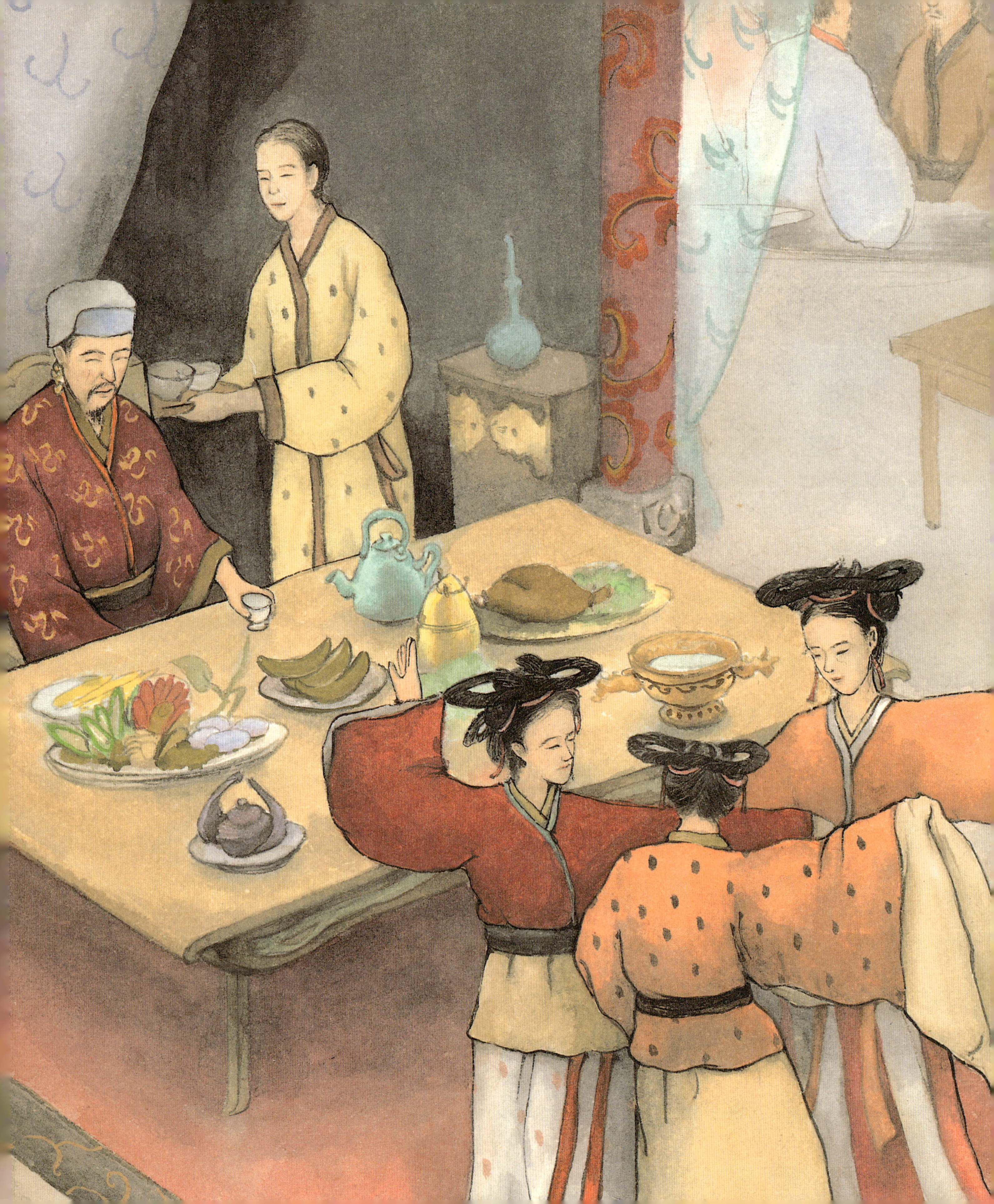

끝내 을불을 찾지 못한 봉상왕은 을불이 죽었다고 생각했어요.
'흐흐흐, 이제 나의 왕위를 넘볼 사람은 아무도 없구나.'
봉상왕은 술과 잔치, 그리고 사냥으로 하루하루를 보냈어요.
왕이 나랏일을 돌보지 않고 사치스런 생활만 즐기다 보니
백성들의 생활은 어려워지고 나라에 내야 할 세금만 많아졌지요.
"아이고, 폐하는 도대체 언제쯤 나라를 제대로 다스리시려나?"
"그런 꿈은 아예 꾸지도 말아요. 폐하가 얼마나 잔인한 분인데…….
혹시라도 그런 불평을 입 밖에 냈다간 죽음을 면치 못할 거예요."
나라가 점점 어려워지고 백성들의 불만이 높아 가자
창조리와 조불, 소우 같은 충신은 나라 걱정에 잠을 이루지 못했어요.
"이제 더는 가만히 보고 있을 수 없습니다.
이대로 가면 나라가 망합니다."
"그렇습니다. 하루빨리 을불 왕자님을 모셔 와야 합니다."
"그분이 과연 살아 계실까요?"
"분명히 어딘가에서 우리를 기다리고 계실 겁니다."
이야기를 나눈 끝에 조불과 소우가 을불을 찾아오기로 했어요.

한편, 을불은 소금을 팔러 사수촌이라는 마을로 갔어요.
날이 어두워지자 을불은 소금 장수들의 짐을 보관해 주는 집으로 갔지요.
그런데 그 집의 주인 할머니는 마을에서 소문난 욕심쟁이였답니다.
주인 할머니는 을불에게 터무니없이 많은 돈을 요구했지요.
할머니의 속셈을 알아차린 을불은 정중하게 말했어요.
"할머니! 물건을 사고파는 데 가장 중요한 것은 정직입니다.
오늘 보관료는 드릴 테지만 다른 사람에게 이렇게 많은 돈을
요구하지는 마십시오."
다음 날, 날이 밝자 을불은 소금 자루를 들고 집을 나왔어요.
그런데 갑자기 주인 할머니가 소리를 지르며 달려왔어요.
"도둑 잡아라, 도둑! 내 꽃신 훔쳐 간 도둑놈 잡아라!"
할머니의 고함 소리를 듣고 동네 사람들이 우르르 몰려와 을불을 잡았어요.
"저는 할머니의 꽃신을 훔치지 않았습니다!"
하지만 한 남자가 막무가내로 을불의 소금 자루를 뒤졌지요.
그랬더니 이상하게도 소금 자루 안에 꽃신 한 켤레가 들어 있는 게 아니겠어요!
"이런 고얀 놈이 있나! 감히 노인의 물건을 훔치다니!"
마을 사람들은 을불의 말은 듣지도 않고 그대로 관가로 끌고 갔어요.

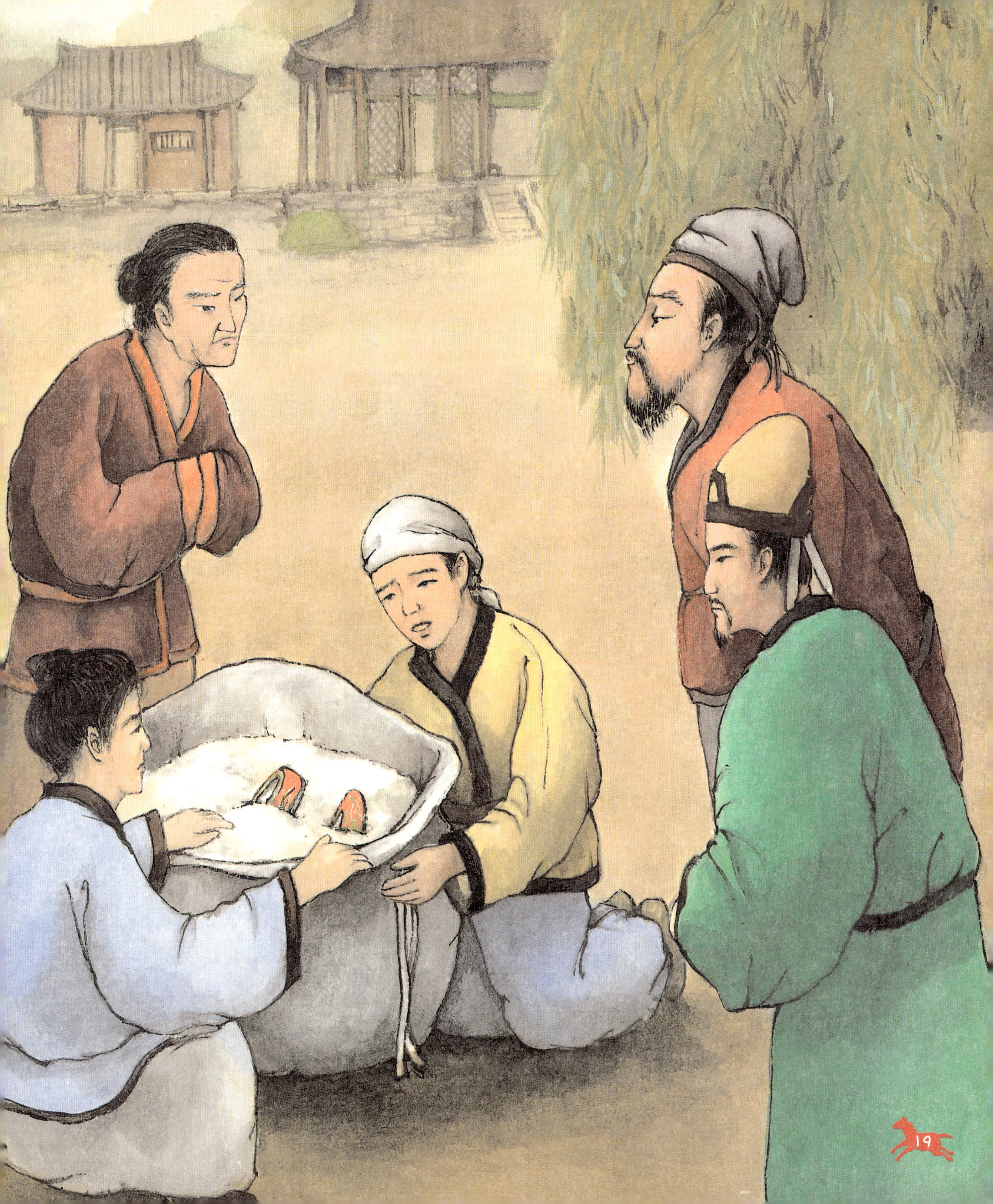

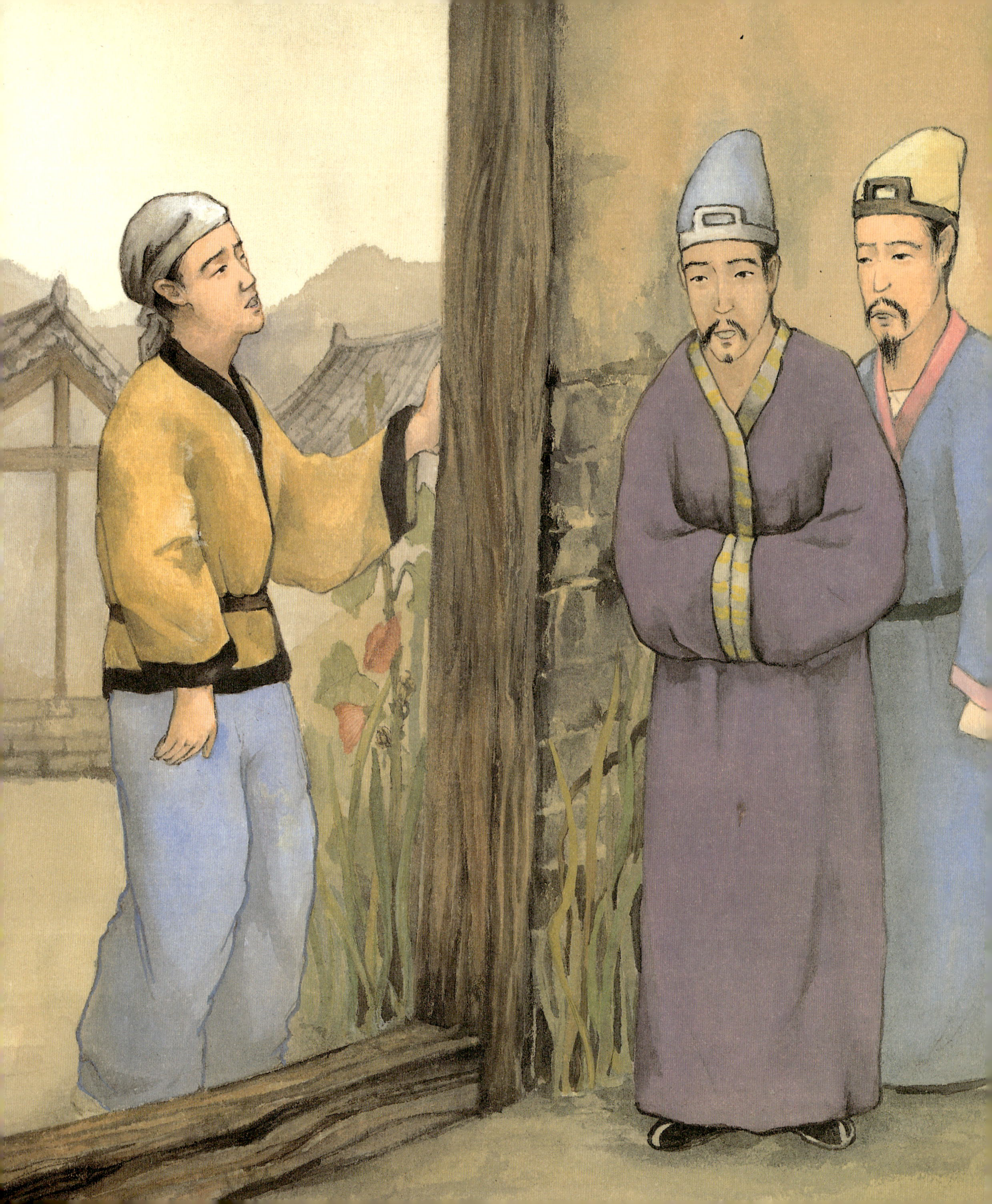

관가로 끌려온 을불은 자기가 훔친 것이 아니라고 말했어요.

하지만 소금 자루에서 꽃신이 나온 이상 을불의 말은 통하지 않았지요.

꼼짝없이 도둑 누명을 쓴 을불은 곤장*을 30대나 맞고 가지고 있던 소금마저

모두 빼앗긴 채 거리로 쫓겨났어요. 을불은 서러움에 눈물이 흘렀어요.

"아, 하늘도 무심하시지. 고구려 왕족으로 태어난 내가 머슴살이에

소금 장사를 하다가 이제는 도둑으로 몰리다니!"

마침 관가 앞을 지나던 두 남자가 을불의 이야기를 듣고는

화들짝 놀라 을불을 바라보았어요. 두 남자는 바로 조불과 소우였어요.

조불과 소우는 국내성을 떠난 이후 줄곧 을불을 찾아다녔지요.

하지만 어디에서도 을불에 대한 소식을 들을 수가 없었어요.

그러다 우연히 사수촌에서 을불을 발견한 것이었지요.

비록 모습은 변했지만 두 사람은 한눈에 을불을 알아볼 수 있었어요.

*곤장 : 옛날에 죄인의 엉덩이를 치던 형벌

두 사람은 반가운 마음에 을불 앞으로 달려가 무릎을 꿇었어요.

"을불 왕자님! 저희는 조불과 소우이옵니다."

을불은 깜짝 놀랐어요.

'이런! 큰아버지가 나를 죽이려고 사람을 보냈구나.'

을불은 두 사람을 피해 달아나려 했지만 지친 몸이 말을 듣지 않았지요.

조불과 소우는 을불을 부축해서 근처 객주*로 갔어요.

두 사람은 을불이 기운을 차리자 국내성에서 일어난 일들을 차근차근 이야기했어요.

"봉상왕은 백성을 돌보지 않고 사치스러운 생활에 빠져 있습니다.
게다가 걸핏하면 사람을 의심하고 죽입니다.
을불 왕자님께서 새로운 왕이 되어 어려움에 빠진
이 나라와 백성을 구해 주셔야 합니다!"

*객주 : 먼 곳에서 온 상인이나 나그네를 상대로 하던 여관

을불은 잠시 고민에 빠졌어요.
자신이 왕이 되면 큰아버지 봉상왕은 죽음을 피할 수 없었기 때문이에요.
'아, 어찌해야 좋단 말인가.
하지만 고구려와 백성을 위한다면 어쩔 수 없다.'
을불은 고구려를 위해 새로운 왕이 되기로 결심했어요.

을불이 국내성으로 몰래 돌아오고 얼마 지나지 않아
창조리가 봉상왕에게 한 가지 제안을 했어요.
"폐하! 봄이 되어 날씨가 따뜻하니 사냥을 하기에 딱 좋습니다.
머리도 식힐 겸 산으로 나가시지요."
"언제는 늘 사냥만 한다고 야단이더니, 오늘은 웬일이오? 허허허."
평소에는 의심 많은 봉상왕이었지만 그날은 웬일인지
몹시 기뻐하며 사냥 대회를 열었지요.

둥둥둥.

힘찬 북 소리가 숲 속으로 울려 퍼졌어요.
사냥감을 찾아 여기저기 눈을 돌리던 봉상왕은
커다란 멧돼지 한 마리가 숲 속으로 달아나는 것을 보았어요.
봉상왕은 활을 겨누고 멧돼지를 따라 숲으로 들어갔지요.
그 순간 난데없이 커다란 그물이 봉상왕을 덮쳤어요.
높은 나무 위에 숨어 있던 창조리의 부하들이
봉상왕에게 그물을 던진 것이었지요.
"으악, 이게 무슨 짓이냐!"
봉상왕이 소리를 질렀지만 이미 때는 늦었어요.
봉상왕은 저항 한 번 하지 못한 채
그대로 잡히고 말았어요.

25

봉상왕이 창조리의 부하에게 잡혔다는 소식을 들은 백성들은 길거리로 몰려나왔어요.

사냥을 하러 갔다가 느닷없이 잡힌 봉상왕은 수치심과 분노로 이를 갈았지요.

백성들은 봉상왕이 타고 가는 수레에 돌을 던졌어요.

"폭군은 물러가라!"

"봉상왕은 물러가라!"

대궐에는 이미 창조리의 부하들이 봉상왕의 군사들을 물리치고
창조리 일행을 기다리고 있었어요.
대궐로 돌아온 창조리는 봉상왕을 감옥에 가두었지요.
"아아, 신하에게 이런 꼴을 당하다니…….
이런 모욕을 당하며 살 수 없다!"
분을 이기지 못한 봉상왕은 결국 스스로 목숨을 끊고 말았어요.

봉상왕이 죽은 다음 날, 국내성 대궐에서는 을불의 즉위식이 열렸어요.
봉상왕의 뒤를 이어 왕이 된 을불이 바로 고구려 제15대 미천왕이랍니다.
미천왕은 먼저 가난한 백성에게 식량을 나누어 주었어요.
그런 뒤에 군사를 모으고 무기를 만들어 고구려 북쪽의 낙랑과 대방을
공격했지요. 국경 지역의 고구려 사람들이 낙랑과 대방의 횡포에
시달리는 것을 보았던 미천왕은 그 식민지들을 없애야
고구려 사람들이 편하게 살 수 있다고 믿었기 때문이에요.
고구려의 영토를 넓히기 위해서도 낙랑과 대방을 반드시
손에 넣어야 된다고 생각했어요.
낙랑과 대방은 고구려의 공격에 강하게 저항했지만
미천왕이 이끄는 고구려군을 당해 낼 수는 없었지요.
미천왕은 언제나 백성들을 사랑하는 마음을 잊지 않았어요.
어린 시절 떠돌아다니며 백성들의 아픔을 직접 겪어 보았기에
누구보다 백성들의 마음을 잘 아는 훌륭한 왕이 될 수 있었답니다.

29

고통 속에서 지혜를 얻은 미천왕

미국 작가 마크 트웨인의 소설 〈왕자와 거지〉는 왕실 밖의 생활을 궁금해 하던 왕자가 우연히 자기와 똑같이 생긴 거지 소년과 신분이 바뀌면서 겪는 이야기입니다. 왕실 밖으로 나온 왕자는 온갖 어려움을 겪게 되고 다시 왕실로 돌아온 후에는 백성의 어려움을 잘 이해하는 훌륭한 왕이 되지요.

1700년 전, 우리나라에도 이와 비슷한 상황에 놓인 왕자가 있었으니 바로 훗날 고구려 제15대 미천왕이 된 을불 왕자랍니다. 을불은 〈왕자와 거지〉의 왕자와는 달리 누명을 씌워 자기를 죽이려는 큰아버지를 피해 어쩔 수 없이 대궐을 떠났습니다. 대궐 밖으로 나와 온갖 고생을 하면서 을불은 백성의 어려운 생활을 몸으로 이해하게 되었고, 백성이 편안해지려면 나라의 영토를 넓히고 힘을 키워야 된다고 생각했지요. 창조리와 충신들의 도움으로 왕위에 오른 을불은 백성을 괴롭히는 관리를 벌 주고 백성의 생활에 도움이 되는 제도를 만들었습니다. 또한 고구려 사람을 괴롭히던 낙랑과 대방을 정복합니다.

미천왕은 백성의 고통을 직접 겪은 왕이었습니다. 이러한 미천왕의 경험은 고구려 사람들을 하나로 모으는 지혜의 밑거름이 되었답니다. 더 나아가 고구려가 서쪽과 남쪽으로 영토 확장을 하는 데 큰 원동력이 되었지요. 미천왕은 고구려를 거대하고 강한 나라로 만드는 탄탄한 기틀을 마련한 왕으로 기억되고 있답니다.

> 미천왕은 큰 아픔을 겪은 끝에 백성의 어려움을 이해하는 왕이 되었어요.

- 기원전 37년 고구려 건국
- 3년 국내성으로 도읍 옮김
- 194년 진대법 실시
- 300년 미천왕 고구려 제15대 왕 즉위
- 311년 미천왕 서안평 점령
- 313년 낙랑군, 대방군 정복
- 372년 불교 유입

미천왕과 관련 있는 인물들

봉상왕 : 고구려 제14대 왕

서천왕의 첫째 아들로 왕위에 있었던 기간은 292~300년입니다. 시기심이 많고 교만하여 작은아버지 달가와 동생 돌고를 죽이는 등 자신의 왕권 유지에 위협이 되는 세력을 제거하였습니다. 연나라의 침입을 막아 내기도 하였으나 차츰 나랏일에 소홀해졌습니다. 300년, 왕위에서 쫓겨나 결국 스스로 목숨을 끊었습니다.

창조리 : 고구려의 국상

남부 대사자(고구려 벼슬의 하나)로 있다가 고구려의 국상이 되었습니다. 나라에 큰 흉년이 들었는데도 봉상왕이 왕권 유지에만 집착하고 사치와 방탕한 생활을 일삼자 국상의 자리에서 물러나 조불, 소우 등과 함께 봉상왕을 쫓아내고 을불을 새로운 왕으로 받들었습니다.

알고 싶은 요모조모

'창조리의 난' 때 관모에 꽂은 갈잎

《삼국사기》 미천왕 설화 원문에는 '갈잎을 모자 위에 꽂았다.' 라는 대목이 나옵니다. 고구려의 대신 창조리가 봉상왕에게 맞서 반란을 일으켰을 때, 반란에 참여한 사람 중 창조리를 따르던 무리가 관모(대신이 쓰는 모자)에 갈잎을 꽂았다는 내용입니다. 여기에서 갈잎은 봉상왕에 반대하는 세력의 상징이었던 셈입니다.

391~413년
광개토대왕의
대륙 정복 사업

427년
평양성으로
도읍 옮김

612년
살수대첩

660년
나당연합군
평양성 공격

668년
고구려 멸망

궁금증을 풀어 주는 미로여행

Q1 봉상왕은 왜 동생인 **돌고**를 죽였을까요?

Q2 왕의 자리를 놓고 왕자들끼리 죽이는 **반란**이 많았나요?

Q3 '을불'은 미천왕의 진짜 **이름**일까요?

Q4 낙랑과 대방을 멸망시킨 것은 고구려에 어떤 **도움**이 되었나요?

Q5 미천왕의 '**미천**'은 무슨 뜻인가요?

'을불'은 미천왕의 아명, 즉 어릴 적에 부르던 이름입니다. '을불' 말고도 '우불'로도 불렸어요. '을불'과 '우불'에 쓰인 '불(弗)'은 모두 '아니다'라는 뜻으로 해석할 수 있어요. 그래서 을불은 '평범하지 않다.'라고 풀이할 수도 있지요. 결국 을불은 이름처럼 **평범하지 않은** 어린 시절을 보냈지요.

고구려는 귀족 사회였어요. 귀족들은 서로 여러 파로 나뉘어 경쟁을 했고, 자기들에게 유리한 사람을 왕으로 모시려고 했어요. 그리하여 왕자들 사이를 이간질하고 **경쟁**을 시켰지요. 결국 왕위를 놓고 왕자들의 반란이 일어났어요.

미천왕이 낙랑과 대방을 멸망시킴으로써 고구려는 기름진 **땅**을 차지할 수 있었어요. 또한 400년 동안 한반도에서 주인 행세를 하려 했던 중국의 기세를 꺾고 민족의 자존심을 되찾을 수 있었지요. 또, 고구려가 압록강에서 서해까지 진출할 수 있는 발판을 마련하게 되었지요.

봉상왕의 할아버지인 중천왕은 반란을 일으킨 동생 예물과 사구를 사형시켰어요. 봉상왕의 아버지인 서천왕 또한 반란을 꾸미려다 적발된 동생 일우와 소발을 사형시켰지요. 이러한 모습들을 보고 자란 봉상왕은 자신의 동생도 반란을 일으킬 것이라 **의심**을 품었답니다.

'미천'을 풀이하면 아름다울 미(美), 내 천(川)으로 '시냇물처럼 아름다운 왕'을 뜻해요. 왜 이러한 이름이 붙여졌는지 정확히 알려지지 않았지만 동천왕, 중천왕 등의 이름이 있는 것을 보아 당시에 내 천(川) 자가 **고귀하다**라는 의미로 쓰였던 것 같아요.